Cyhoeddwyd gyntaf ym Mhrydain yn 2013 gan Little Tiger Press, 1 The Coda Centre, 189 Munster Road, Llundain SW6 6AW

Cyhoeddwyd gyntaf yn Gymraeg yn 2013 gan Wasg Gomer, Llandysul, Ceredigion SA44 4JL
www.gomer.co.uk

ISBN 978 1 84851 706 6

Dymuna'r cyhoeddwyr gydnabod cefnogaeth Adrannau Cyngor Llyfrau Cymru.

LTP/1800/0573/0413

Argraffwyd yn China.

I Mark, James, Joe a Jess ~ JH

I fy ffrindiau oll, sydd wedi bod yn sbardun i gymaint o bethau arbennig! ~ CP

Ffrindiau

Bach a Mawr

Julia Hubery • Caroline Pedler
Addasiad Sioned Lleinau

Gomer

'Dwi'n caru-caru-caru
fy siwmper newydd!' canodd
Alffi'r Arth gan ddawnsio
o gwmpas y stafell.

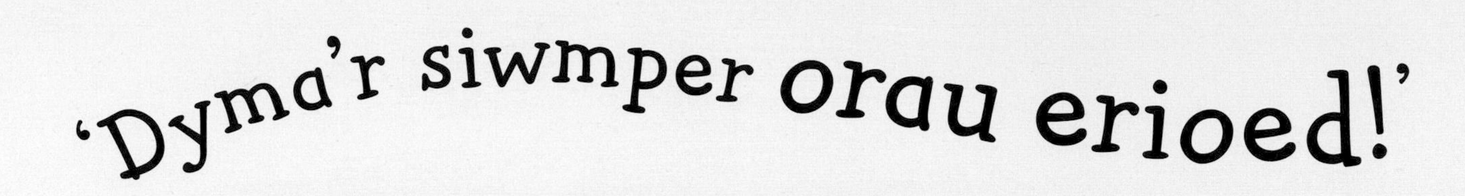
'Dyma'r siwmper orau erioed!'

‘Fe wnes i ei gwau hi’n arbennig i ti,’
gwenodd Mam, ‘â chariad
ym mhob pwyth!’

‘Waw! Diolch Mam!’
meddai Alffi.

'Mae'n rhaid i fi ddangos i Twrch!
A Begw Bwni! A **phawb!**'
A bant ag e.

'Twrch, **Twrch!**'
gwaeddodd Alffi.

'O diar, does neb adre,' ochneidiodd.
Ond beth *oedd* y sŵn bach gwichlyd
yna yn y llwyni?

Twrch!

'Help!' gwichiodd.

'Ro'n i'n casglu mwyar duon
a dyma fi'n mynd yn sownd yn
y drain pigog 'ma!'

'Paid â phoeni,' meddai Alffi.

A chyda hwb a hei a ho, roedd Twrch yn rhydd.

Ond roedd un **broblem** fach.

Roedd siwmper newydd Alffi'n sudd
mwyar duon a thyllau drain i gyd.

'Fy siwmper **newydd**!' meddai Alffi.

'Mam wnaeth
hon i mi!'

'Paid â phoeni, Alffi,' meddai Twrch.
'Dere, allwn ni ei golchi hi'n lân yn y nant.'

Ond wrth fynd, dyma nhw'n clywed sŵn **tynnu** a **thuchan** yn dod o ardd gerllaw.

'Alffi! Help!' gwaeddodd Begw Bwni. 'Mae Dad wedi tyfu'r foronen **fwyaf** erioed! Ond mae hi'n **sownd**!'

'Beth am i ni dynnu gyda'n gilydd 'te,'
meddai Alffi.

'Un . . . dau . . . tri . . .

TYNNWCH!!!'

POP!

Saethodd y foronen
allan o'r ddaear a . . .

SBLAT!

Disgynnodd y
ffrindiau i ganol
y mwd.

'Alffi, ti'n **fwd i gyd!'** chwarddodd Begw.

'O na!' meddai Twrch. 'Y siwmper newydd sbon wnaeth dy fam i ti.'

'Â chariad ym mhob pwyth!' sniffiodd Alffi.

'Alli di ddim mynd adre'n edrych fel yna,' meddai Begw.

Felly bant â nhw ar ras tua'r nant unwaith eto.

Dyma'r ffrindiau bach yn
rhwbio ac yn sgwrio,
yn gwasgu ac
yn gwingo.

Wedyn dyma nhw'n
rhoi'r siwmper ar
gangen i sychu
yn yr haul.

'Mae hi braidd yn fawr,' meddai Alffi wrth ei gwisgo unwaith eto. 'Ti'n iawn,' meddai Twrch. 'Falle y dylen ni fynd adref cyn i unrhyw beth arall ddigwydd i dy siwmper di.'

Ar y ffordd adref, dyma'r tri ffrind bach yn gweld rhywbeth yn y goeden uwchben.

'Help!' gwaeddodd Leusa'r Llygoden. 'Chwythodd y gwynt y barcud a fi lan fan hyn. Mae ofn arna i!'

'Paid â phoeni, Leusa,' gwaeddodd Alffi. 'Dwi ar fy ffordd!'

Dringodd Alffi
i fyny'r goeden,

yn uwch ac yn uwch

a helpu Leusa i
gyrraedd y gangen.

'Diolch yn fawr, Alffi,' meddai Leusa.
'Ti'n arwr! Ond mae 'nghoesau i fel jeli
nawr, ac mae'n bell iawn i'r ddaear.'
'Dal yn sownd wrtha i,' meddai Alffi
wrth iddo dynnu ei siwmper . . .

‘Wiiiiiiiiiiiiiiiiiiiiiiiii!’

Disgynnodd Alffi a Leusa i lawr i’r ddaear yn ddiogel.

'Hip hip hwrê! Da iawn chi!' gwaeddodd Begw. 'Ti'n ddewr iawn, Alffi.'

'Ond fy siwmper i – edrychwch ar y golwg sydd arni!' llefodd Alffi. 'Beth fydd dy fam yn ei ddweud?' ebychodd Twrch.

'Bydd hi'n drist iawn,' meddyliodd Alffi, 'fel finnau.' A dyma fe'n ei throi hi am adref, yn araf fel malwoden yn ei siwmper fawr, wlyb.

Roedd Alffi yn ei ddagrau wrth redeg i freichiau Mam.

'Sori,' meddai'n drist. 'Dwi wedi difetha fy siwmper-lawn-cariad!'

'Paid â phoeni, pwt,' gwenodd Mam. 'Mae Dad wedi sôn wrtha i am dy antur fawr heddiw! Rwyt ti wedi bod yn ffrind arbennig!'

'Beth am i mi wau siwmper arall
yn llawn cariad i'r arth fach
orau a dewraf yn y byd?!'